# Bheya Rebhurauni, Bheya Rebhurauni, Uri Kuonei?

# Brown Bear, Brown Bear, What Do You See?

Pictures by Eric Carle

# Bheya Rebhurauni, Bheya Rebhurauni, Uri Kuonei?

# Brown Bear, Brown Bear, What Do You See?

by Bill Martin, Jr.

Shona translation by Laetitia Nyama

mantra

Bheya rebhurauni, bheya rebhurauni,
uri kuonei?

Brown bear, brown bear,
what do you see?

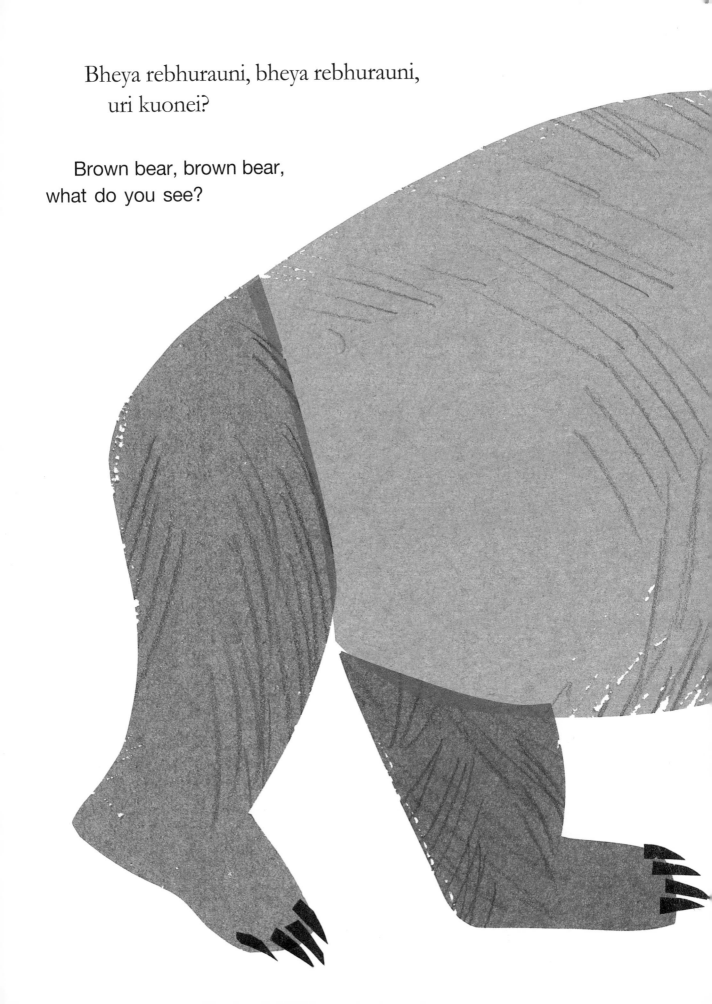

Ndiri kuona shiri tsvuku
yakanditarisa.

I see a red bird
looking at me.

Shiri tsvuku,
    shiri tsvuku,
        uri kuonei?

Red bird, red bird,
what do you see?

Ndiri kuona dhadha
reyero rakanditarisa.

I see a yellow duck
looking at me.

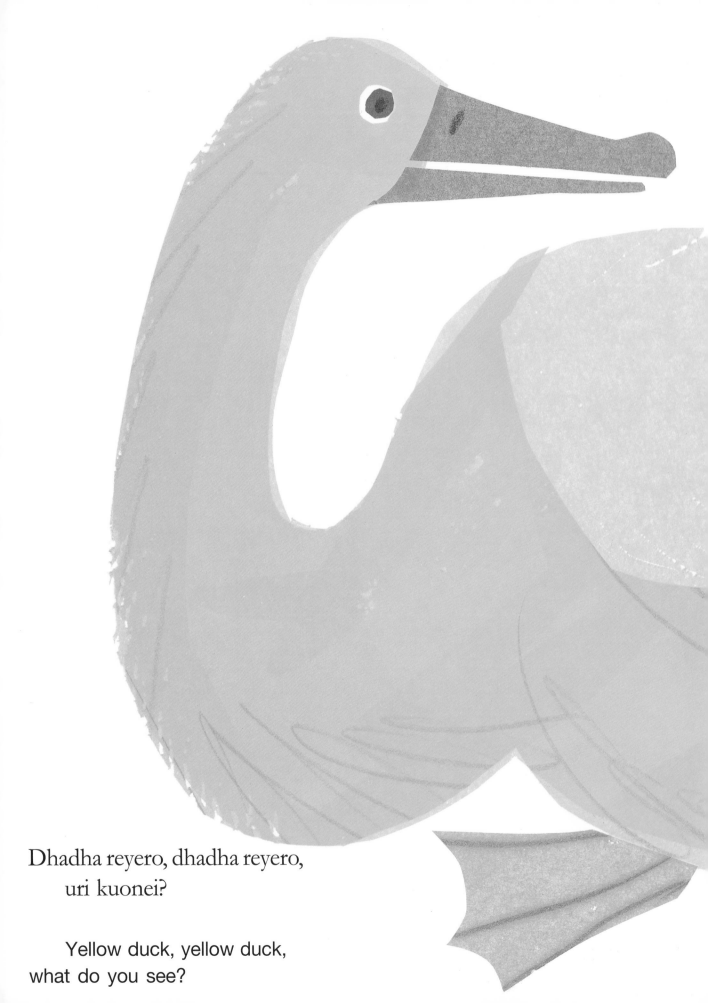

Dhadha reyero, dhadha reyero,
    uri kuonei?

Yellow duck, yellow duck,
what do you see?

Ndiri kuona bhiza
rebhuruu rakanditarisa.

I see a blue horse
looking at me.

Bhiza rebhuruu, bhiza rebhuruu,
uri kuonei?

Blue horse, blue horse, what
do you see?

Ndiri kuona datya
regirini rakanditarisa.

I see a green frog
looking at me.

Datya regirini, datya regirini,
uri kuonei?

Green frog, green frog,
what do you see?

Ndiri kuona kitsi
yepepuru yakanditarisa.

I see a purple cat
looking at me.

Kitsi yepepuru, kitsi yepepuru,
uri kuonei?

Purple cat, purple cat,
what do you see?

Ndiri kuona imbwa
chena yakanditarisa.

I see a white dog
looking at me.

Imbwa chena, imbwa chena,
uri kuonei?

White dog, white dog,
what do you see?

I see a black sheep
looking at me.

Ndiri kuona hwai
nhema yakanditarisa.

Hwai nhema, hwai nhema,
uri kuonei?

Black sheep, black sheep,
what do you see?

Ndiri kuona hove
yegoridhe yakanditarisa.

I see a goldfish
looking at me.

Hove yegoridhe, hove yegoridhe,
uri kuona chii?

Goldfish, goldfish,
what do you see?

Ndiri kuona tsoko
yakanditarisa.

I see a monkey
looking at me.

Tsoko, tsoko,
uri kuona chii?

Monkey, monkey,
what do you see?

Ndiri kuona vana
vakanditarisa.

I see children
looking at me.

Vana, vana,
muri kuona chii?

Children, children,
what do you see?

shiri tsvuku a red bird

Tiri kuona bheya rebhurauni

We see a brown bear

datya regirini a green frog

hwai nhema a black sheep

hove yegoridhe a goldfish

dhadha reyero — a yellow duck

bhiza rebhuruu — a blue horse

kitsi yepepuru — a purple cat

imbwa chena — a white dog

netsoko yakatitarisa.
Ndizvo zvatiri kuona.

and a monkey looking at us.
That's what we see.

British Library Cataloguing in Publication Data
A CIP record for this book is available from the British Library

First published in dual language in Great Britain 2004 by Mantra Lingua
5 Alexandra Grove, London N12 8NU
www.mantralingua.com